龍藏寺碑

中國碑帖名品［三十八］

上海書畫出版社

前言

中華文明綿延五千餘年，文字實具第一功。從倉頡造字而雨粟鬼泣的傳説起，歷經華夏子民智慧聚集、薪火相傳，終使漢字生生不息、蔚爲壯觀。伴隨著漢字發展而成長的中國書法，基於漢字象形表意的特性，在一代又一代書寫者的努力之下，最終超越其實用意義，成爲一門世界上其他民族文字無法企及的純藝術，并成爲漢文化的重要元素之一。在中國知識階層看來，書法是中國人『澄懷味象』、寓哲理於詩性的藝術最高表現方式，她净化、提升了人的精神品格，歷來被視爲『道』『器』合一。而事實上，中國書法確實包羅萬象，從孔孟釋道到各家學説，從宇宙自然到社會生活，中華文化的精粹，在其間都得到了種種反映，書法無愧爲中華文化的載體。書法又推動了漢字的發展，篆、隸、草、行、真五體的嬗變和成熟，源於無數書家承前啓後、對漢字美的不懈追求，多樣的書家風格，則愈加顯示出漢字的無窮活力。那些最優秀的『知行合一』的書法家們是中華智慧的實踐者，他們彙成的這條書法之河印證了中華文化的發展。

因此，學習和探求書法藝術，實際上是瞭解中華文化最有效的一個途徑。歷史證明，漢字及其書法衝破了民族文化的隔閡和時空的限制，在世界文明的進程中發生了重要作用。我們堅信，在今後的文明進程中，這一獨特的藝術形式，仍將發揮出巨大的力量。然而，在當代這個社會經濟高速發展、不同文化劇烈碰撞的時期，書法也遭遇前所未有的挑戰，這其間自有種種因素，而漢字書寫的退化，或許是書法之道出現踟躕不前窘狀的重要原因，因此，有識之士深感傳統文化有『迷失』、『式微』之虞。書法藝術的健康發展，有賴對中國文化、藝術真諦更深刻的體認，彙聚更多的力量做更多務實的工作，這是當今從事書法工作的專業人士責無旁貸的重任。

有鑒於此，上海書畫出版社以保存、傳播最優秀的書法藝術作品爲目的，承繼五十年出版傳統，出版了這套《中國碑帖名品》叢帖。該叢帖在總結本社不同時段字帖出版的資源和經驗基礎上，更加系統地觀照整個書法史的藝術進程，彙聚歷代尤其是今人對不同書體不同書家作品（包括新出土書迹）的深入研究，以書體遞變爲縱軸，以書家風格爲横綫，遴選了書法史上最優秀的書法作品彙編成一百册，再現了中國書法史的輝煌。

爲了更方便讀者學習與品鑒，本套叢帖在文字疏解、藝術賞評諸方面做了全新的嘗試，使文字記載、釋義的屬性與書法藝術造型、審美的作用相輔相成，進一步拓展字帖的功能。同時，我們精選底本，并充分利用現代高度發展的印刷技術，精心校核，原色印刷，效果幾同真迹，這必將有益於臨習者更準確地體會與欣賞，以獲得學習的門徑。披覽全帙，思接千載，我們希望通過精心編撰、系統規模的出版工作，能爲當今書法藝術的弘揚和發展，起到綿薄的推進作用，以無愧祖宗留給我們的偉大遺産。

上海書畫出版社

簡介

《龍藏寺碑》，全稱《恒州刺史鄂國公爲國勸造龍藏寺碑》，亦稱《正定府龍興寺碑》。原石今在河北省正定縣隆興寺内，隋開皇六年（五八六）立。楷書，碑陽正文三十行，行五十字。碑陰及左側有題名。通高三百二十四釐米，寬九十釐米，厚二十九釐米。碑文記述了恒州刺史鄂國公王孝僊奉命勸獎士庶萬餘人修建龍藏寺的情况。無撰書人姓名。歐陽修《集古録》認爲撰者即碑末署名的張公禮。書法遒勁挺拔，寬博秀麗，上接六朝餘緒，下開初唐先聲。堪稱隋碑第一。

本次選用之本爲黄易舊藏明末清初本，民國二十五年由文明書局影印出版，題爲《宋拓龍藏寺碑》。此影印本出版至今，曾爲國内及日本多家出版社翻印。此册之碑額、碑陰與碑陽俱爲明末清初時所拓，然民國時未全部影印，故鮮爲人知，今一并出版。惜此本碑陰之額及碑側文字失拓，今以伏廬舊藏清嘉道間精拓本補之。整幅碑拓爲清同光間所拓『迦』字未損本。以上諸本皆爲朵雲軒所藏，均係首次原色影印。

恒州刺史鄂
國公為國勸
造龍藏寺碑

【碑額】

【碑陽】

【碑陰額、碑陰】

都維那比丘玄詣

都維那比丘惠暢

□□□丘僧積

[illegible]

[illegible]

都維那比丘道軌

[illegible]

都維那比丘圓□

都維那比丘道運

都維那比丘靜脫

都維那比丘僧揩

都維那比丘惠韶

都維那比丘道長

都維那比丘曇響

都維那比丘惠郎

都維那比丘僧帝

都維那比丘道寧

都維那比丘真觀

【碑側】

隋龍藏寺碑

張公禮未泐本安心室

咸屬褚德彝題

【碑額】恒州刺／

公爲國丶

藏寺碑

空王：佛的尊稱。佛説世界一切皆空，故稱『空王』。

名相：佛教語。耳可聞者曰名，眼可見者曰相。

大人：佛是一切衆生中最尊最大的人，所以佛稱爲大人。

去來：過去和未來。視一切法有生有滅有去有來，是小乘的妄見，若依中道的正見來説，則生滅去來本是如來藏，因爲一切法本是不生不滅不去不來。

師子：即『獅子』，指佛。《大智度論》卷七：『佛爲人中師子，佛所坐處，若床若地，皆名師子座。』又佛陀説法稱『師子吼』，因其毫無怖畏，聲聞十方，群魔震攝，百獸降伏之故。

【碑陽】竊以空王之道，離／諸名相；大人之法，／非有去來。斯故將／喻師子，明自在如／

無畏，取譬金剛，信／畢竟而不毀。是知／（涅）槃（路遠，解脱源／深。）隔愛慾之長河，／

無畏：佛菩薩不屈不撓地度化一切衆生，宣示正道，降伏一切外道邪説，謂之『大無畏』。

金剛：即金剛石。因其極堅利，佛家視爲稀世之寶，常喻堅貞不壞。《大藏法數》卷四一：『梵語跋折羅，華言金剛。此寶出於金中，色如紫英，百煉不銷，至堅至利，可以切玉，世所稀有，故名爲寶。』

涅槃：佛教用語，是佛教全部修習所要達到的最高理想，一般指熄滅生死輪回後的境界。

慾：同『欲』。

間生死之大海。無/船求度，既似龜毛；/無翅願飛，還同兔/角。故以五通八解，/

度：通「渡」。

龜毛：龜生毛。

兔角：兔長角。本指戰爭的徵兆。《搜神記》卷六：「商紂之時，大龜生毛，兔生角，兵甲將興之象也。」後比喻不可能存在或有名無實的東西。

五通：即「五神通」，指五種神通，即天眼通、天耳通、他心通、宿命通、身如意通。

八解：即「八解脫」，又稱「八背舍」，指遠離三界煩惱，解脫其繫縛的八種禪定。

名教：通常是指以正名定分爲主的封建禮教，此處是指佛教。

攸：所。

二諦：指真諦和俗諦。凡隨順世俗，説現象之幻有，爲俗諦；凡開示佛法，説理性之真空，爲真諦。二諦互相聯繫，爲大乘佛教基本原則之一。

三乘：指小乘（聲聞乘）、中乘（緣覺乘）和大乘（菩薩乘）。三者均爲淺深不同的解脱之道。亦泛指佛法。

法門：佛的教化方式和内容，稱爲法門。

麄：同『粗』。檢粗攝細，形容精心選擇，廣泛攝取。

汲引：從井中往上打水，比喻吸取、修持。

挽：拉，牽引。陷：攻破，克服。挽滿陷深：拉起强弓，攻陷艱深。形容勇猛精進，刻苦修行。

名教攸生，二諦（三／乘），法門斯（起。檢）麄／攝細，良資汲引之／風；挽滿陷深，雅得／

乾闥：即『乾闥婆』，梵語音譯，亦譯作『犍闥婆』。乾闥之城，指海市蜃樓。《大智度論》卷六：『犍闥婆城者，日初出時，見城門樓櫓宮殿行人出入，日轉高轉滅，此城但可眼見而無有實，是名犍闥婆城。』

應化：佛教語。謂佛、菩薩隨宜化身，教化衆生。唐玄奘《大唐西域記·婆羅痆斯國》：『天帝釋欲驗修菩薩行者，降靈應化爲一老夫。』

詎：豈。

權假：暫時代理某種職位。

寧：難道。

修行之致。若論乾／闥之城皆妄，芭蕉／之樹盡空，應化詎／真，權假寧實？釋迦／

釋迦文：泛指一切佛經。

須菩提：釋迦牟尼佛的十大弟子之一。他誕生時，家中空乏貧窮，故取名須菩提，意爲『空生』。在佛陀的弟子中，須菩提被稱爲『解空第一』。

證果：佛教語，謂佛教徒經過長期修行而悟入妙道。

習因：佛教術語，六因之一。新譯爲『同類因』，舊譯爲『習因』。指過去及現在一切有爲法，以同類相似之法爲因，而引致『等流果』者。如以前念之善心爲因，而後念之善心又起善業；以前念之噁心爲因，而後念之噁心又起惡業，如此以各自同類之法爲同類法之因。

文（非）説□之□，須／菩提豈證果之人？／然則習因之指安／歸？求道之趣奚向？／

嚮：通『響』。如影如嚮：即如影隨形，如響隨聲。

維摩詰：佛經中人名。是毗耶離城中的一位大乘居士。曾以稱病爲由，向釋迦遣來問訊的舍利弗和文殊師利等宣揚教義。維摩詰是佛典中現身説法、辯才無礙的代表人物。維摩詰的故事主要記載在《維摩詰經》中。

如幻如夢，誰其受／苦？如影如嚮，誰其／得福？是故維摩詰／具諸佛智，（燈王之）／

坐：通『座』。

舍利弗：釋迦牟尼的十大弟子之一，或譯作鶖鷺子、舍利子，號稱『智慧第一』。初從六師外道的删闍耶毗羅胝子出家，後因聽到馬勝比丘説因緣所生法的偈頌，改學佛法。持戒多聞，敏捷智慧，善講佛法。

天女之花不去：《維摩詰經·觀衆生品》載，維摩詰説法時，他的房間中有一位天女現身空中，以天花灑落在各位菩薩和大弟子的身上。天花不能沾在菩薩的身體上，但落在大弟子身上，所有的弟子運盡神通，也無法使花脱落。於是天女問舍利弗爲何要去掉這些鮮花，舍利弗回答説身上沾花不合佛法。天女便説：『結習未盡，華著身耳；結習盡者，華不著也。』

業行：佛教中指行爲、言語、思想等方面的活動。

福報：福德報應。

坐斯來，舍利弗盡／其神通，天女之花／不去。故知業行有／優劣，福報有輕重。／

若至凡夫之与聖／人，天堂之与／地獄，詳其是（非得失，安／可）同日而論哉！往／

四魔：指惱害衆生而奪其身命或慧命的四種魔類，即煩惱魔、蘊魔、死魔、天子魔四種。

六師：又作『外道六師』。古印度佛陀時代，中印度（恒河中流一帶）勢力較大的六種外道。拔髮：拔盡全身毛髮。

翹足：翹足而立以自苦，不圖安逸。

變象：毁壞容貌。

吞麻：吞麻核使口不能言。以上所舉，均自殘自苦之法，在佛教修行中稱爲『外道』。

東漢末年，劉備、關羽、張飛於桃園結義。此處以『李園』與『桃園』相對，形容糾結惡黨之地。

竹林：指竹林精舍，又名竹園，爲頻婆娑羅王建造以供佛説法的道場，在王捨城，也是佛教史上的第一座寺廟。此處是泛指佛教僧衆的寺院和集會之所。

者四魔毀聖，六師/謗法。拔髮翹足，變/象吞麻。李園之內，/結其惡黨，竹林之/

亡其善聚：表示遣散僧衆信士。

比丘：俗稱和尚，爲佛教出家『五衆』之一，指已受具足戒的男性。

下，亡其善聚。護戒／比丘，翻同雹（草；持／律）□□，忽等霜蓮。／慧殿仙宫，寂寥安／

離離：明亮光鮮貌。

含含：委婉動聽貌。

在；珠臺銀閣，荒涼／無處。離離綴彩，寧／勞周客？含含奏曲，／詎假殷人？我大／

金輪：佛教語。『輪』是印度古代戰爭用的一種武器。印度古傳説中征服四方的轉輪王出生時，空中出現輪寶，預示他將來的無敵力量。輪寶有金、銀、銅、鐵四種，感得金輪寶者，爲金輪王，乃四輪之首，領東南西北四大洲。乘御金輪，形容擁有上天賜予的無敵力量。

冕旒：古代帝王的禮冠和禮冠前後的玉串。

玉藻：帝王冕冠前後懸垂的貫以玉珠的五彩絲繩。此處以『冕旒玉藻』爲皇帝登基統一天下的代稱。

飛行：此處形容氣吞山河的氣勢。

鴻名：大名，盛名。

大寶：指皇帝之位。

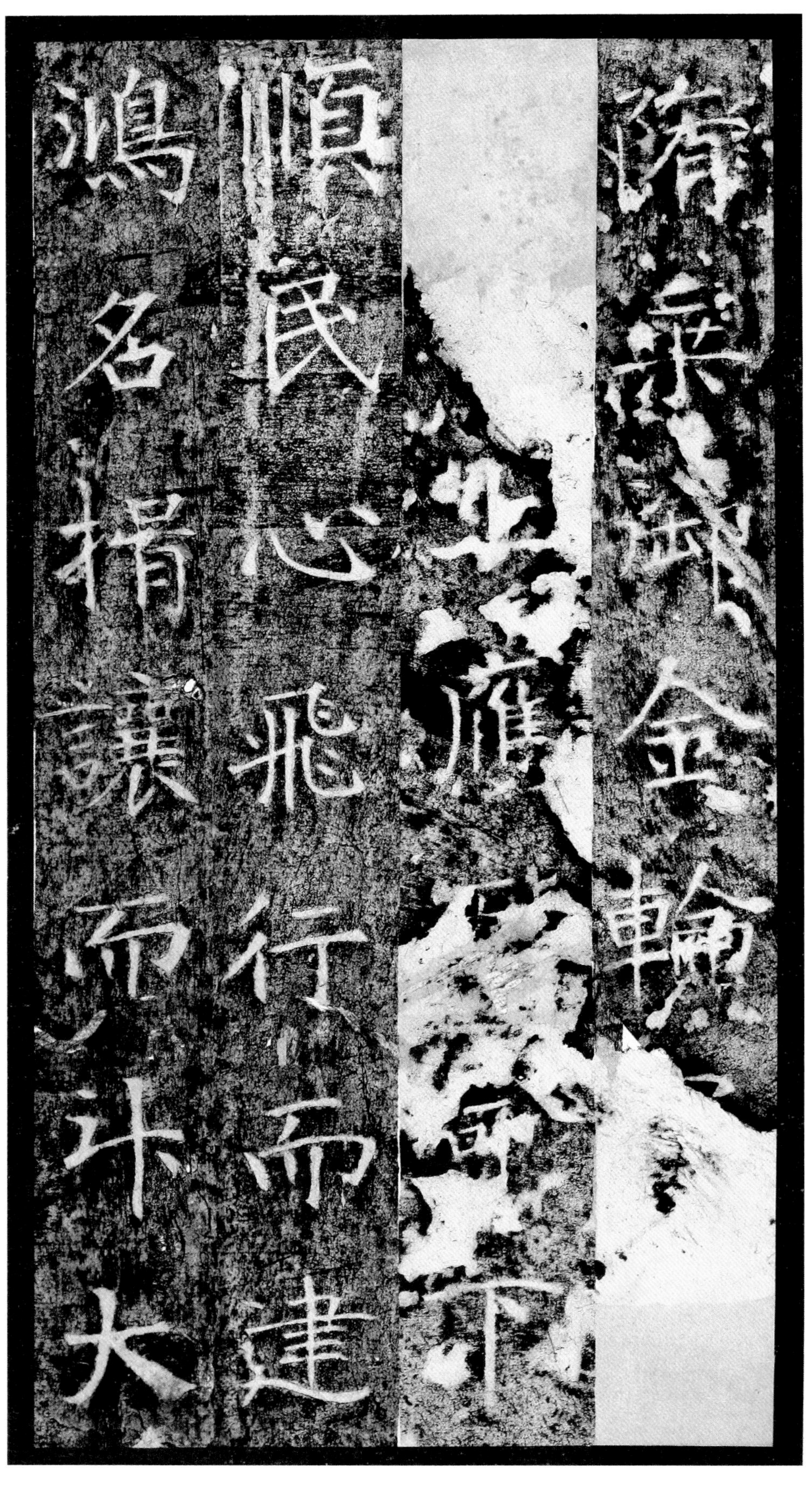

隋乘御金輪，（冕旒/玉藻。）上應天命，下/順民心。飛行而建/鴻名，揖讓而升大/

寶。匪結農軒之陣，／誰徇湯武之師？稱／臣妾者遍於十方，／弗（遇）蚩尤之亂；（執）／

匪：通「非」。

農：炎帝神農氏。

軒：黄帝軒轅氏。

農軒之陣：神農和軒轅的陣法，此處泛指攻戰之法。

徇：通「殉」。此處形容戰士勇往直前，不懼犧牲。

湯武之師：商湯與周武王的部隊。

稱臣妾者：稱臣和稱妾的人，表示臣服。

蚩尤：傳説中的古代九黎族首領。以金作兵器，與黄帝戰於涿鹿，失敗被殺。

執玉帛者：遣使者執玉帛進獻，亦表示臣服歸順。

防風：古代傳説中的部落酋長名。『無陷防風之禍』，形容臣服來朝者不敢怠慢，因此沒有人引來殺身之禍。用典十分貼切。

垂衣：謂定衣服之制，示天下以禮。垂衣化俗，推行禮制，教化民俗，泛指帝王的統治。

負扆：亦作『負依』。背靠屏風。指皇帝臨朝聽政。

（玉）帛者盡於万國，/無陷防風之禍。斯/乃天啓至聖，大造/區域。垂衣化俗，負/

宸字民。昧旦紫宮，╱終朝青殿。道高羲╱燧，德盛虞（唐。五福╱咸臻），衆貺畢集。低╱

昧旦：破曉，天將明未明之時。

紫宮：天子之居。

終朝：本指早晨。此處是指白天將盡。

青殿：本指帝王春季所居的宮殿。此處也是泛指帝王的宮殿。

羲燧：伏羲和燧人氏，均爲傳説中的上古帝王。燧人氏是鑽木取火的發明者。

虞唐：虞舜和唐堯，上古五帝中的後二位。古人認爲他們是道德至高無上的聖人君主。

五福：五種福。《尚書·洪範》：『五福：一曰壽，二曰富，三曰康寧，四曰攸好德，五曰考終命。』漢桓譚《新論·辨惑》：『五福：壽、富、貴、安樂、子孫衆多。』

臻：達到，獲得。

貺：嘉瑞，賜贈之物。

茆：同『茅』。

萐：萐莆，古書上說的一種植物，葉大可做扇。此處指扇。

茆（出）月，搖萐含風。／沉璧觀書，龍負握／河之紀；功成治定，／神奉益地之圖。於／

暨：到達。
徂：往。

是東暨西漸，南徂／北邁。隆禮言洽，（至／樂雲和。）感天地而／動鬼神，辯尊卑而／

亡：通『無』。

求衣：索衣，指起床。勞己亡倦，求衣靡息：形容皇帝勤勉政事，不知疲倦，起早貪黑，無暇休息。

攸攸：通『悠悠』。衆多貌。

垢障：指罪業和磨難。

明貴賤。而尚勞己／亡倦，求衣靡息。豈／非攸攸黔首，垢障／未除，擾擾蒼生，蓋／

衿抱：襟懷，懷抱。

陶甄：比喻陶冶、教化。

鞠養：撫養，養育。

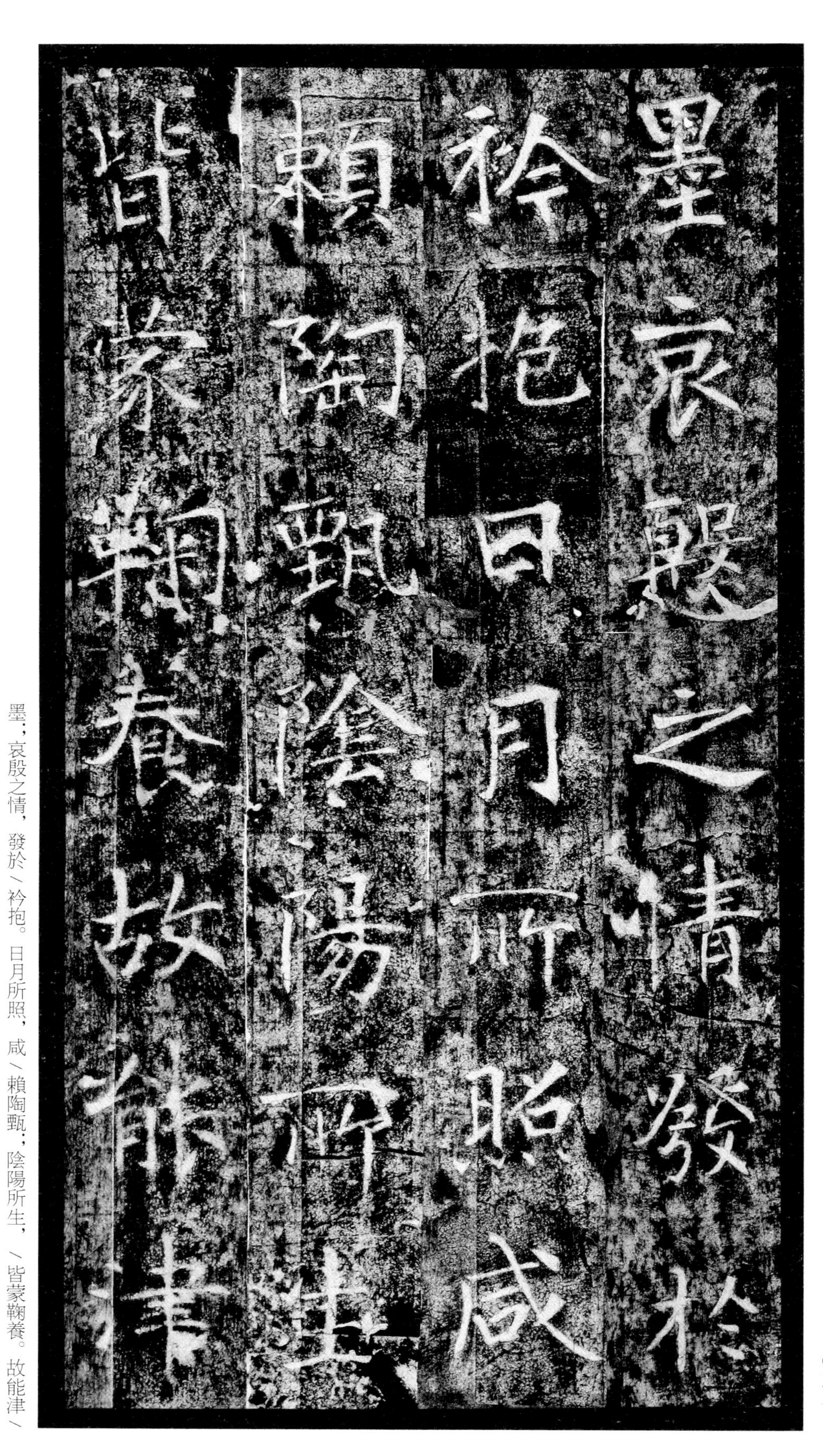

墨；哀殷之情，發於／衿抱。日月所照，咸／賴陶甄；陰陽所生，／皆蒙鞠養。故能津／

蓋纏：佛教所謂五蓋與十纏皆煩惱之數，故以『蓋纏』指代煩惱。

金編：用金絲穿連的簡冊。

寶字：此處指帝王所寫的字。

玉牒：帝王封禪、郊祀的玉簡文書。

綸言：帝王詔令的代稱。

金編寶字，玉牒綸言：泛指帝王的一切詔書、命令。

纏仍擁。所以金編／寶字，玉牒綸言。滿／封盈函，雲飛雨散。／慈愛之旨，形於翰／

津濟：救助，接濟。

率土：「率土之濱」的省文，指境域之內。

溥天：普天。

協奬：鼓勵，引導。

聾瞽：聾子和盲人。

澍：及時雨。《說文解字》：「澍，時雨也。」此處用作動詞。法雨：比喻佛法。佛法普度衆生，如雨之潤澤萬物，故稱。

道牙：佛牙。相傳釋迦圓寂後，留下四顆佛牙。後用以喻指修道之功德。唐金獻貞《海東故神行禪師碑》：「灌法水於神器，長道牙於心田。」

濟率土，救護溥天。/協奬愚迷，扶導聾/瞽。澍茲法雨，使潤/道牙；燒此戒香，令/

修第壹之果：取得修行的最高境界。

幢：是佛教道場的裝飾之具。梵語『馱縛若』或『計都』，意譯爲『寶幢』、『天幢』。『幢』是屬於旗類的一種，在世俗法中，它是王者的儀衛之物，也是將領們指揮用的軍旗之類。佛陀被稱做『法王』，具有降伏一切魔軍的神威之力，因此，就把佛陀說法論道稱做『建法幢』。建最勝之幢，亦即取得修行的最高境界。

以：通『已』。

忍辱之鎧：比喻忍辱能防一切外來的詆毀和磨難，如著鎧甲。《法華經·勸持品》曰：『惡鬼入其身，罵詈毀辱我。我等敬信佛，當著忍辱鎧。』又，佛經以『忍辱衣』指袈裟。此處的『忍辱之鎧』，或指袈裟，亦即代指出家之人。

薰佛慧。脩第壹之/果，建最勝之幢；拯/既滅之文，匡以墜/之典。忍辱之鎧，滿/

清都：指都城。

微妙之臺：指佛寺。

赤縣：『赤縣神州』的省稱，古代用以指中國。

道安：東晉高僧。常山扶柳（河北冀州）人，俗姓衛。十二歲出家，研習經論，識志超卓。

羅什：即鳩摩羅什，本印度人，但生長於龜兹，出家後，博讀大小乘經論。弘通：弘揚教法。

迦葉：釋迦弟子中以迦葉爲名者有五人，經論中單稱『迦葉』者是指『摩訶迦葉波』，他年高德崇，稱爲大迦葉。釋迦殁後佛教結集三藏時，他是召集人兼首座。中國禪宗又説他是傳承佛法的第一代祖師，西土二十八祖之始祖。

目連：亦作『目蓮』，『摩訶目犍連』的略語。爲釋迦牟尼十大弟子之一。傳説他神通廣大，能飛抵兜率天。

（於清）都；微妙之臺，／充於赤縣。豈直道／安、羅什，有寄弘通；／故亦迦葉、目連，聖／

伯珪：公孫瓚之字。《三國志》卷八《公孫瓚傳》：『瓚軍數敗，乃走還易京固守。爲圍塹十重，於塹裏築京，皆高五六丈，爲樓其上；中塹爲京，特高十丈，自居焉，積穀三百萬斛。瓚曰：「昔謂天下事可指麾而定，今日視之，非我所決，不如休兵，力田畜穀。兵法，百樓不攻。今吾樓櫓千重，食盡此穀，足知天下之事矣。」欲以此弊紹。紹遣將攻之，連年不能拔。』裴松之注引《英雄記》：『先是有童謠曰：「燕南垂，趙北際，中央不合大如礪，惟有此中可避世。」瓚以易當之，乃築京固守。』按，『□京易水』，據上引《三國志》文，當是『築京易水』，故補。

母恤：史籍作『毋恤』，春秋時趙簡子之太子，後襲位爲趙襄子。

僧斯在。龍藏寺者，／其地蓋近於燕南。／昔伯珪取其謠言，／（築）京易水；母恤往／

代：春秋戰國時國名，故址在今河北蔚縣東北代王城。戰國初爲趙襄子所滅。

常山：即恒山，在今河北曲陽縣西北。西漢因避文帝劉恒諱，北宋又避真宗趙恒諱，改恒山爲常山。

世祖：此指東漢光武帝劉秀。

高邑：即高邑縣，東漢改鄗縣置，屬常山國，治所在今河北柏鄉縣北二十一里固城店鎮。

祚：通「阼」，下文「寶祚」同。踐阼：走上阼階主位。古代廟寢堂前兩階，主階在東，稱阼階。阼階上爲主位。後以「踐阼」指帝王登基。

而得寶，窺代常山。/世祖南旋，至高邑/而踐祚；靈王北出，/登望臺而臨海。青/

款：叩，經過。由燕地往西爲晋，過晋則爲秦。

『途通□而指衛』：燕地南經趙而至衛。所缺疑是『趙』字，但不能確定。

矩步非遥：此處指路途很近。下文『規行詎遠』同義。

山斂霧，緑水揚波。/路款晋而適秦，途/（通）□而指衛。□□/之落，矩步非遥；平/

平原之樓：指戰國趙平原君家之樓。《史記》卷七六《平原君虞卿列傳》：『平原君家樓臨民家。』按，平原君家在邯鄲，位於龍藏寺之南。

泒：泒水。古河名，源出山西，東流至天津入海。

河：通『何』。

原之樓，規行詎遠。/尋泒避世，彼亦河/人；幽閑博敞，良爲/福地。太師、上柱國、/

世子：帝王和諸侯王的嫡長子。

大威公之世子，使/持節、（左）武衛將（軍）、/上開府儀同三司、/恒州諸軍事、恒州/

世業：世代相繼的事業、功績。

金張：漢時金日、張安世二人的并稱。二氏子孫相繼，七世榮顯。後用爲顯宦的代稱。

器識：器量與見識。

許郭：東漢許劭、郭太的并稱。

飛將：漢時匈奴對漢將李廣的稱呼。

刺史、鄂國公、金城／王孝僊，世業重於／金張，器識逾於許／郭。軍府号爲飛將，／

虎臣：比喻勇武之臣。

冠冕：比喻居於首位。

探賾索隱：求取高深的學問，探索事物的奥秘。

應變知機：把握機會，隨機應變。

著義：行仁義之舉。

訓御：訓誨統御。

朝廷稱（爲虎）臣。領／袖諸口，冠冕群儁。／探賾索隱，應變知／機。著義尚訓御之／

懃，立勳功事勞之╱績。廊廟推其偉器，╱柱石揖其大材。自╱馳傳莅蕃，建旟（作）╱

事勞：辛勤操勞。

揖：此處表示推讓，推舉。

馳傳：本指駕馭驛站車馬疾行。此處指受命出守邊疆。

莅蕃：出守邊關。

建旟：指大將出鎮。

作牧：古稱州的長官爲州牧，相當於後世的州刺史。

招懷：招撫，懷柔。

蠲復：免除賦税或勞役。

賈琮：東漢人，字孟堅。《後漢書》卷三一《賈琮傳》：『乃以琮爲冀州刺史。舊典，傳車驂駕，垂赤帷裳，迎於州界。及琮之部，升車言曰：「刺史當遠視廣聽，糾察美惡，何有反垂帷裳以自掩塞乎？」乃命御者褰之。百城聞風，自然竦震。其諸臧過者，望風解印綬去，惟癭陶長濟陰董昭、觀津長梁國黄就當官待琮，於是州界翕然。』

徐邈：字景山，三國魏人。《三國志》卷二七《徐邈傳》：『明帝以涼州絶遠，南接蜀寇，以邈爲涼州刺史，使持節領護羌校尉。……率以仁義，立學明訓，禁厚葬，斷淫祀，進善黜惡，風化大行，百姓歸心焉。』

（牧），招懷（歎）逸，蠲復／逃亡。遠視廣聽，賈／琮之按冀部；賞善／戮惡，徐邈之處涼／

軫：本義是車箱底部後面的橫木，此處是車的通稱。異軫齊奔，不同的車馬奔向同一個方向，比喻殊途同歸。

伽籃：即『伽藍』。梵語『僧伽藍摩』譯音的略稱，即僧衆居住的庭園，後世稱佛寺爲伽藍。

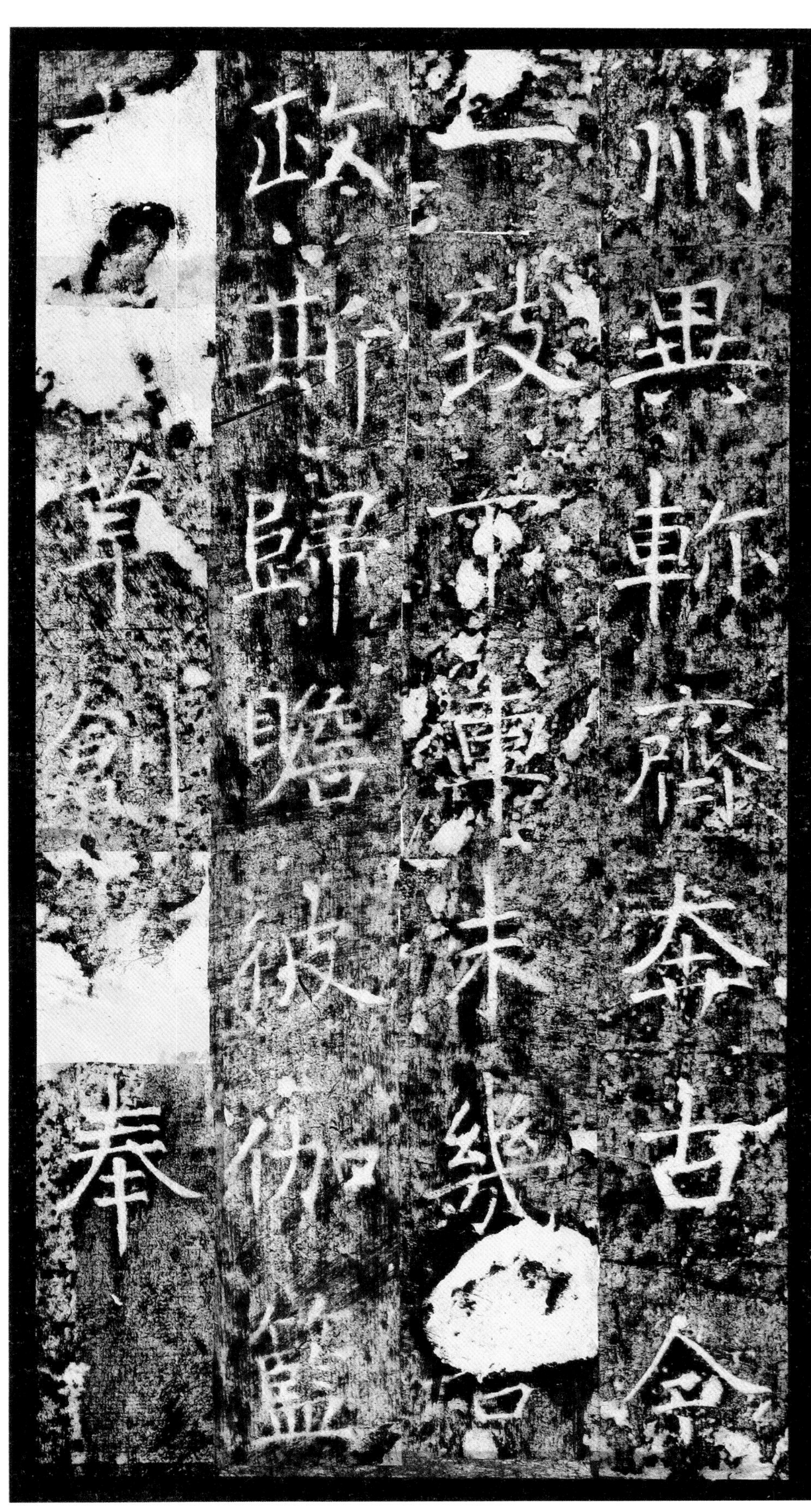

州。異軫齊奔，古今／一致。下車未幾，善／政斯歸。瞻彼伽籃，／（事因）草創。□奉／

勸奬：勸勉，鼓勵。

士庶：士人和庶民。

福田：佛教以爲供養布施，行善修德，能受福報，猶如播種田畝，有秋收之利，故稱『福田』。

虔心徙石：虔心至誠，可使石轉徙。《詩經·邶風·柏舟》：『我心匪石，不可轉也。』此反用其意。

奉蓋：典出《維摩詰經·佛國品》：『爾時毗耶離城，有長者子，名曰寶積，與五百長者子，俱持七寶蓋，來詣佛所，頭面禮足，各以其蓋，共供養佛。』

勑勸奬州内士庶／壹萬人等，共廣福／田。公爰啓至誠，虔／心徙石：，施逾奉盖，／

檀：布施。

布金：明陳耀文《天中記》卷十五引《經律異相》：『祇園須達多長者白佛言：「弟子欲營精舍請佛住。」惟有祇陀太子園廣八十頃，林木郁茂可居。白太子，太子戲曰：「滿以金布，便當相與。」須達出金布八十頃，精舍告成，凡千二百區。』

黑水：《尚書·禹貢》：『華陽黑水惟梁州』；『黑水西河惟雍州』；『導黑水，至於三危，入於南海。』近代以來多數學者認爲這是古人想象中的一條河流。

赤岸：即赤崖。在今陝西留壩縣東北。

瑠璃：即『琉璃』。

䋄：『網』的古字。

餝：同『飾』。

纓珞：用朱玉串成的飾物。

檀等布金。竭黑水╱之銅，罄赤岸之玉。╱結瑠璃之寶䋄，餝╱纓珞之珎臺。於是╱

膠葛：深遠廣大貌。

穹隆：形容樓閣高大巍峨。

譎詭：變化多端，神秘莫測。

九重：九層之殿，形容其高大宏偉。

壹柱：指一柱觀，在湖北省松滋縣東丘家湖中。南朝宋臨川王劉義慶在鎮，於羅公洲立觀，宏大而惟一柱，故名『一柱觀』。

三休：即三休臺，本名章華臺。漢賈誼《新書·退讓》：『翟王使使至楚，楚王欲誇之，故饗客於章華之臺上。上者三休而乃至其上。』三休的意思是説登上樓頂，中途要休息三次，極言其高。

七寶：用七種寶物所裝點的樓臺。

靈剎霞舒，寶坊雲∕構。崢嶸膠葛，穹隆∕譎詭。九重壹柱之∕殿，三休七寶之宮。∕

雕梁刻桷之奇，圖／雲畫藻之異。（白）銀／成地，有類悉覺之／談；黃金鏤楯，非關／

雕梁刻桷：有雕花的梁木，有繪飾的方椽。形容宮殿的華麗。

藻：藻井，傳統建築中天花板上的一種裝飾處理。一般做成圓形、方形或多邊形的凹面，上有各種花紋、雕刻和彩畫。

悉覺：其義未詳，待考。結合上下文，似是人名。

楯：欄檻橫木，指欄杆。

句踐：即『勾踐』。此句的意思是説龍藏寺的樓閣金碧輝煌有如吴王的宫殿，但并不是勾踐所進獻的。

牖：窗户。

方疎：方窗。

曜：同『耀』。

明璫：用珠玉串成的裝飾。

句踐之獻。其内閑／房静室，陰牖陽窓。／圓井垂蓮，方疎度／日。曜明璫於朱户，／

殖：通『植』。

紫墀：殿庭以紅色塗飾的臺階。

安養之國：佛教語，爲西方極樂世界的異名。又稱安養淨土、安養世界等。因爲在極樂淨土中，可安心、養身，故稱安養。

天樹：高大參天的樹木。

歡喜之園：佛教語，又稱歡喜苑、歡樂園、喜林苑。忉利天帝釋四園之一。入此園則自起歡喜之情，故名歡喜。

殖芳卉於紫墀。（地）／映金沙，似遊安養／之國；簷隱天樹，疑／入歡喜之園。夜漏／

鍾：同『鐘』。

曉相：曉色，晨光。

承露：指承露盤。漢武帝迷信神仙，於建章宮築神明臺，立銅仙人，舒掌捧銅盤，承接甘露，希冀飲露以延年。此處之『承露』是指佛塔頂端的一種圓形構件。

將竭，聽鳴鍾於寺／內；曉相既分，見承／露於雲表。不求床／坐，來會之衆何憂；／

囗（然）飲食，持鉢之／侶奚念。粵以開皇／六年，歲次鶉火，莊／嚴粗就。庶使皇／

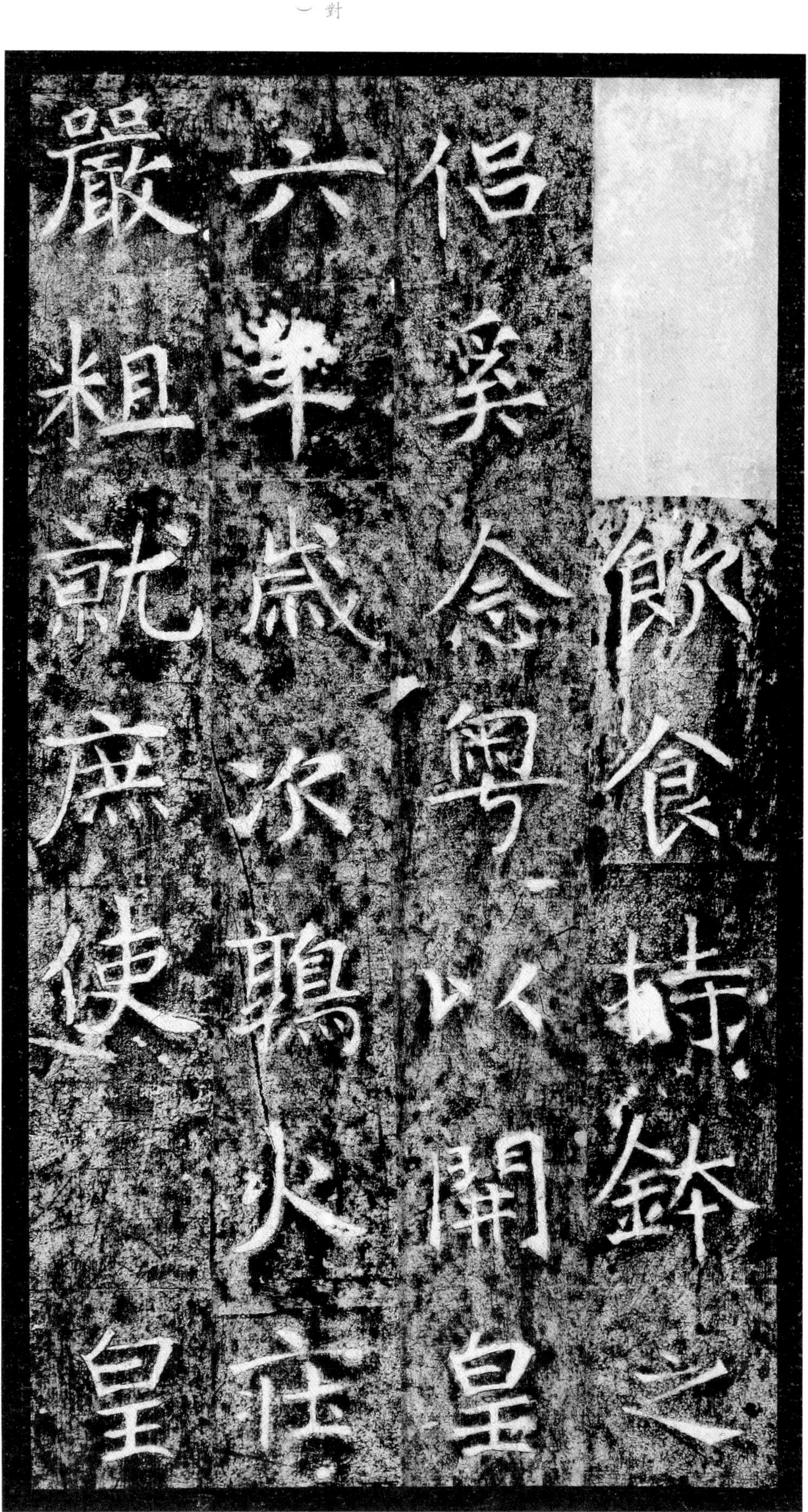

鶉火：星次名。按歲星十二次，鶉火對應地支是『午』。開皇六年（五八六）正是丙午年。

種覺：佛教語。佛證一切種智而大覺圓滿，故名。

花臺：即雨花臺，今在南京中華門外。梁武帝時延請高僧雲光法師在此講經，據說當時花雨墜落，著地化爲雨花石，故稱雨花臺。見南朝梁慧皎《高僧傳》。或即指種花之臺。隋江總《攝山棲霞寺碑》：『昔寶海梵志，睡睹花臺；智猛比丘，行逢影窟。』

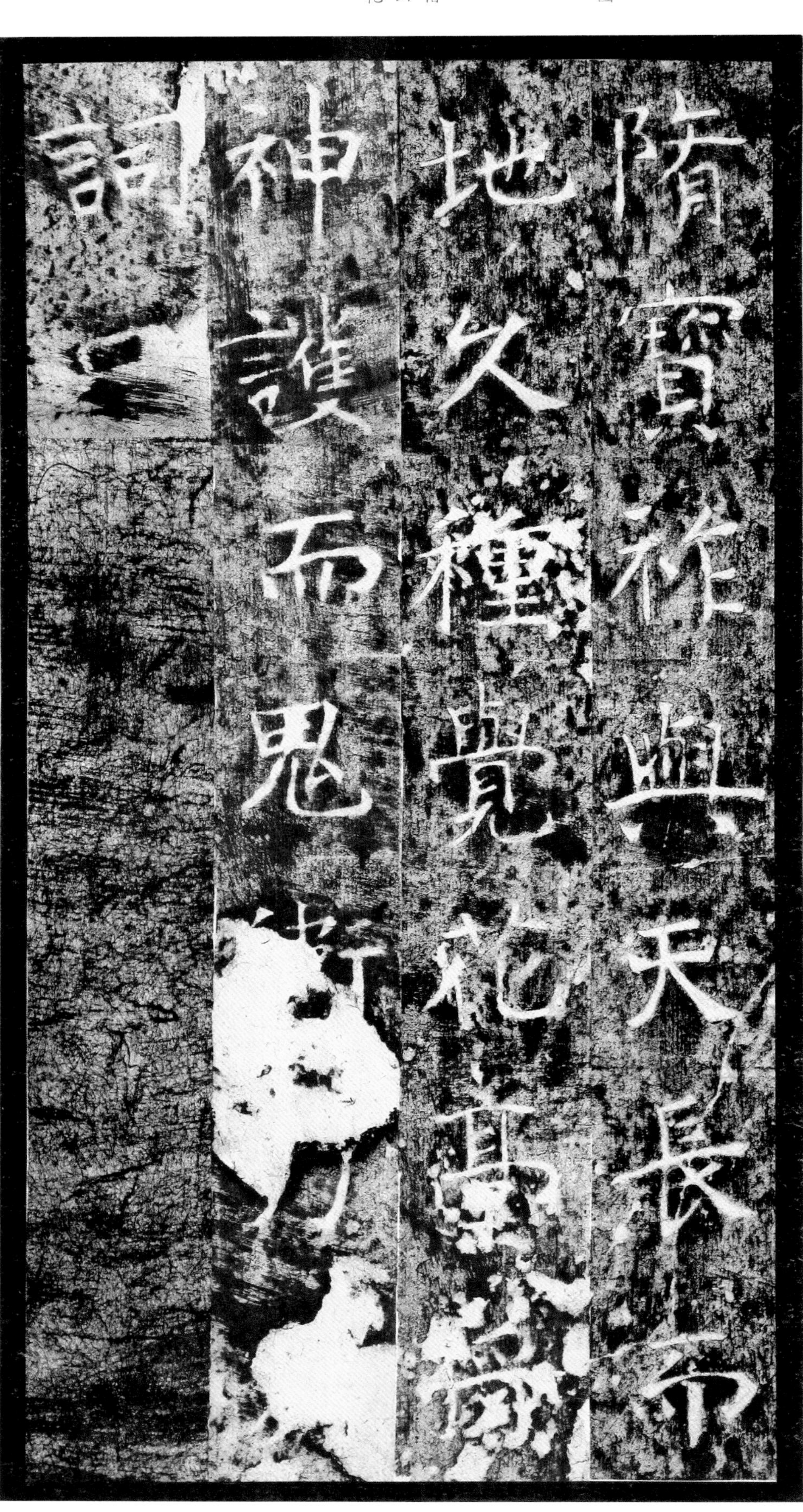

隋寶祚，與天長而／地久；種覺花臺，將／神護而鬼（衛。乃爲）／詞曰：

多羅秘藏，毗尼覺／道。斯文不滅，憑於／大造。誰薰種智，誰／壞煩惚。猗歟我／

多羅：梵語音譯。樹名，即貝多樹。形如棕櫚，葉長稠密，久雨無漏。其葉可供書寫，稱貝葉。

秘藏：謂非凡常所可了知的秘密法門。多羅秘藏，指佛的經典。

毗尼：梵語音譯。又譯作『毗奈耶』。意爲律。

覺道：佛教指成佛正覺之路。

種智：『一切種智』的省稱。就廣義言，與『一切智』同，指無所不知的佛智。

壞：通『懷』。

惚：『惱』的訛字。

猗歟：又作『猗與』。嘆詞，表示贊美。

三寶：佛教稱佛、法、僧爲三寶，代指佛教。

菩提：佛教用以指豁然徹悟的境界，又指覺悟的智慧和覺悟的途徑。

皇，實弘三寶。慧燈／翻照，法炬還明。菩／提果殖，救護心（生）。／香樓並構，貝塔俱／

憬：覺悟。《說文解字》：『憬，覺寤也。從心景聲。』

大林：指大林精舍，位於中印度毗舍離城附近，是佛常住說法之處。

當途：指掌權之人。

向術：此處指崇奉佛教。

於穆：讚美之辭。

州后：君侯，此指王孝僊。

營。充遍世界，弥滿∕國城。憬彼大林，當∕途向術。於穆州后∕，仁風遐拂。金粟施∕

橑：屋椽。

窓：『窗』的異體。

僧，珠纓奉佛。結瑶／葺宇，構瓊起室。鳳／（穴）概日，虹梁入雲。／電飛窓户，雷驚橑／

棼。綺籠金鏤，縹壁／椒薰。綈錦乱色，丹／素成文。髣髴雪宮，／依稀月殿。明室結／

棼：屋的正梁。

縹：淡青色。

椒：芸香科植物，落葉灌木或小喬木。具香氣，古人用椒粉和泥塗壁，稱爲椒壁。此處指用椒薰香。

綈：古代一種絲織品。

髣髴：同『彷彿』。

雪宮：戰國時齊國的離宮名，故址在今山東省淄博市東北。《孟子·梁惠王下》：『齊宣王見孟子于雪宮。』趙岐注：『雪宮，離宮之名也。宮中有苑囿臺池之飾，禽獸之饒。』

跧：同『蜷』。蜷伏。

葱：同『蔥』。蔥蒨：草木青翠茂盛。

天井：指天井關。在今河北武安縣西北八十里天井峧，是通往山西的要道。

吾：通『五』。五臺：即五臺山，在恒州之北。

愰，幽堂啓扇。（卧）虎/（未窺，跧）龍誰見。帶/風蕭瑟，含烟葱蒨。/西臨天井，北拒吾/

蘇秦：戰國時縱横家，曾與趙秦陽君共謀，發動韓、趙、燕、魏、齊諸國合縱，迫使秦國廢帝號，退還土地。

樂毅：戰國後期軍事家，拜燕上將軍。據《史記》卷八十《樂毅列傳》，其先祖樂羊爲魏文侯將，伐取中山，魏文侯封樂羊於靈壽。樂羊死後，葬於靈壽，其後子孫因家焉。中山復國，至趙武靈王時滅中山，樂毅遂爲趙人。燕昭王招納賢才，樂毅從魏國投奔燕國。

鄒：鄒國，爲孟子故鄉。

魯：魯國，爲孔子故鄉。後世因以『鄒魯』指文化昌盛之地，禮義之邦。

汝潁：汝指汝南，潁指潁川。三國時期，汝潁士人成爲曹操最主要的文官來源，在曹魏和西晋政權的建立過程中發揮了重要作用。

臺。川谷苞異，山林／育材。蘇秦説反，樂／毅奔來。鄒魯媿俗，／汝潁慙能。惟此大／

嚮：通「響」。

度：通「渡」。響渡：鐘聲傳送。

層：高。磐：通「盤」。層磐，指承露盤，即佛塔頂部的構件之一，位於相輪的最下端。「疎鍾嚮度，層磐露泫」，與前文「夜漏將竭，聽鳴鍾於寺內；曉相既分，見承露於雲表」相對應。

露泫：露水降下。

八聖：即八聖道，又稱八正道。佛教所説修習聖道的八種基本法門，即：正見、正思維、正語、正業、正命、正精進、正念、正定。見《八正道經》。

四禪：即四禪定。色界初禪天至四禪天的四種禪定。

七辯：佛教謂解説佛法的七種辯説之才。詳見《大智度論》卷五五。

城，（瑰異）所踐。疎鍾／嚮度，層磐露泫。八／聖四禪，五通七辯。／戒香恒馥，法輪常／

轉。／開皇六年十二月／五日題寫。／齊開府長、兼行參／

歷代著録多據此句認定此碑文爲張公禮所撰，但王澍《虛舟題跋》云：『《龍藏寺碑》末行「張公禮」下僅有一「之」字，「之」下闕，爲「撰」爲「書」皆不可知，而都元敬竟坐張公禮爲撰文，未免太鑿。』此説有理。又，古人認爲此處張公禮書齊時官職，因此認爲他是入隋不仕的氣節之士，此説亦甚穿鑿。顧炎武《日知録》卷十三《書前代官》：『陶淵明以宋元嘉四年卒，而顔延之身爲宋臣，乃其作誄直云「有晋徵士」。真定府《龍藏寺碑》隋開皇六年立，其末云「齊開府長兼行參軍九門張公禮撰」，齊亡入周，周亡入隋，而猶書齊官。韓偓自書《裴郡君祭文》，書「甲戌歲」，書「前翰林學士、承旨、銀青光禄大夫、行尚書户部侍郎、知制誥、昌黎縣開國男、食邑三百户韓偓」，是歲朱氏簒唐已八年，猶書唐官而不用梁年號。《宋史·劉豫傳》豫改元阜昌，朝奉郎趙俊書甲子不書僭年，豫亦無如之何。』

軍、九門張公禮之□。

【碑陰額】平等沙門曇令。知事上坐法朗。/正定沙門玄宗。前知事上坐道圓。/斷事沙門智超。寺主惠瑩。/前知事上坐僧恍。寺主明建。/

翊軍將軍、恒州長史／游憘。翊軍將軍、恒州／司馬趙穆。／驃騎大將軍、開府儀同三司、五郡守、／

京并二省尚書左右丞、三州刺史、／前常山六州領民都督、内丘縣散伯／叱李顯和。／驃騎將軍、開府儀同三司、領恒／

州左十七府兵、東燕縣開／國侯高子玉。／上儀同三司、邵州蒲源縣開國伯、副／領右十八開府李平。／

上儀同三司、恒州右十七開府、安德/縣開國公石元。/使持節、驃騎將軍、儀同三司、恒/州左十七開府、永固公劉達。/

道俗邑義：『道』指出家人，『俗』指平民，『邑義』指鄉紳義士。

儀同三司、恒州右十七開府副、懷仁／縣開國伯曹明。／合州道俗邑義一万／人等。／

【碑陰】冠軍將軍都督録事參軍敬楷。／前員外散騎侍郎、開國伯功曹參軍崔旻。／都督前滎陽縣令、倉曹參軍鄭世隆。／伏波將軍户曹參軍楊遠。／

洛州主簿、户曹參軍元德明。／前城睾郡丞、兵曹參軍崔充禮。／前北豫州刑獄參軍、法曹參軍祖士廓。／士曹參軍崔宰。／

行參軍長孫世。／行參軍楊砏。／行參軍梁直。／行參軍傅君長。／

行參軍楊懷詰。／鄂國公府長史皇甫祥。／鄂國公府司馬侯鑾。／翊軍將軍真定縣令張仲。／

冠軍将軍師都督九門縣令李康。／安化縣開國侯石邑縣令任誼。／師都督義鄉縣開國男井陘縣令曹明。／前内侍、開府儀同三司、銀青光禄大夫、靈／

壽縣令潘士逸。／征東將軍蒲吾縣令王緒。／翊軍將軍都督行唐縣令宋璨。／都督滋陽縣令元静。／

州都張元質。／州都裴衡。／前秘書侍郎、平棘縣令、涇陽／縣開國伯、州主簿賈羅侯。／

州主簿房道儒。／州光初主簿房峻。／州光初主簿許芬。／州西曹書佐閻公約。／

州西曹書佐栗子逮。／大都督祭酒楊騰。／前奉朝請祭酒胡士則。／恒州前士曹從事省事李亮。／

真定縣主簿省事趙琛。／前給事真定縣丞王賢袟。／殄冠將軍真定縣尉王亮。／并州前行參軍真定縣尉鄒舉。／

維那：指信徒、居士。

掃寇將軍九門縣丞蔣羅。／伏波將軍九門縣尉富昶。／九門縣尉呂儉。／前恒州典簽録事維那俗素。／

井陘縣尉賈子政。／明威將軍□□司馬廣陽令邑正盧延。／前常山郡正維那石建業。／前常山郡主簿維那石子紹。／

維那賈小盆。／維那石元空。／維那張伽兒。／維那石文遷。／

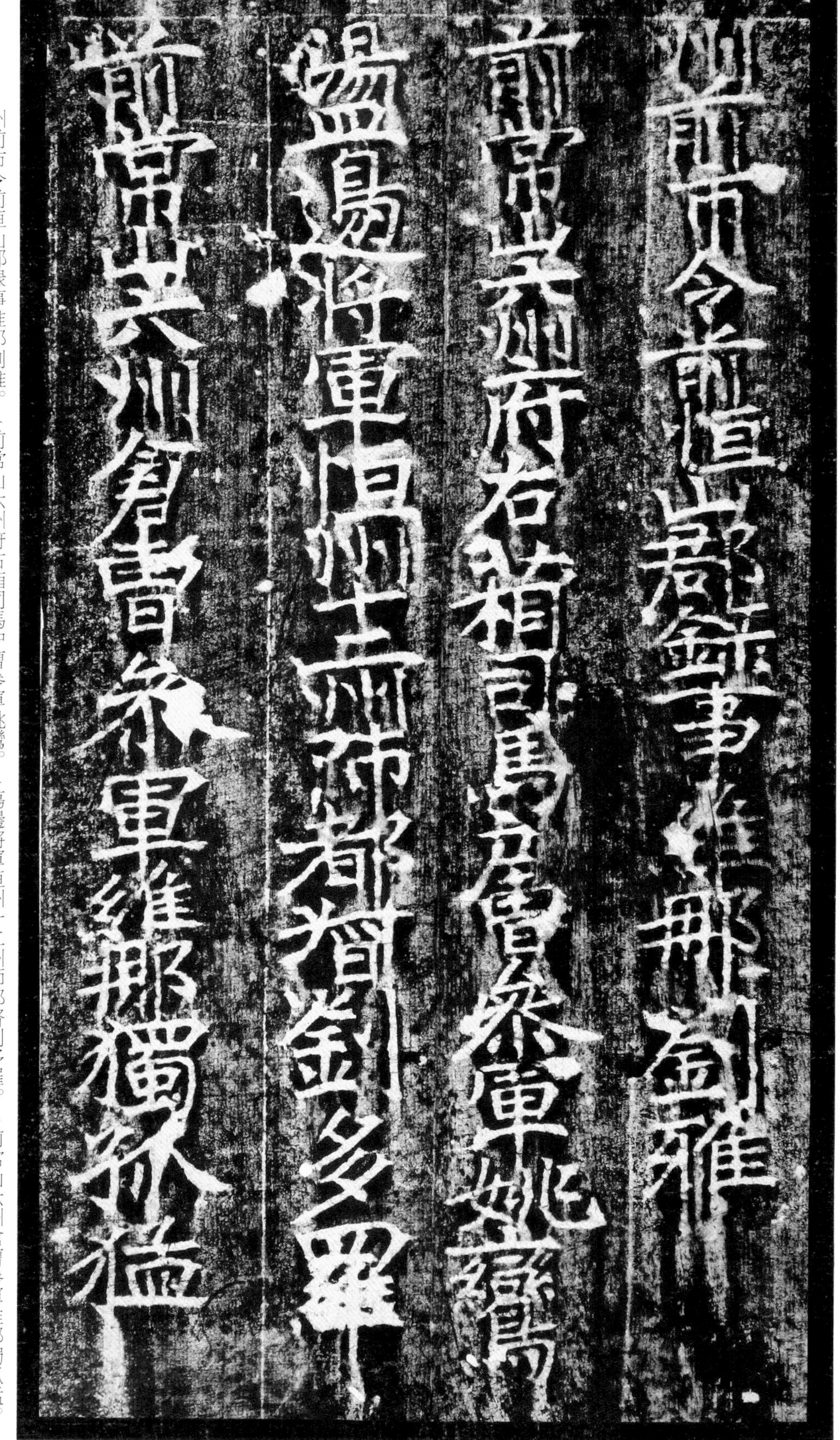

州前市令前恒山郡録事維那劉雅。／前常山六州府右葙司馬户曹參軍姚鸞。／蕩邊將軍恒州十二州師都督劉多羅。／前常山六州倉曹參軍維那獨孤猛。／

前度支令史恒山郡録事牛軌。／蕩邊將軍儀同府司馬維那趙元卿。／儀同府法曹參軍維那潘善護。／前常山郡功曹維那石洪林。／

前散騎常侍維那竹奉伯。／兵曹佐維那郄瑜。／恒州倉督維那郄楷。／前真定縣平正維那封孝瑜。／

明威將軍西水縣令都督焦貴遷。／冠軍將軍前鋒大都督豪州／刺史東興縣男呼延霋。／前州倉曹佐監寺使張秤。／

霋：同『雙』。《敦煌曲子詞·失調名》：『春色漸舒榮，忽睹飛燕。』

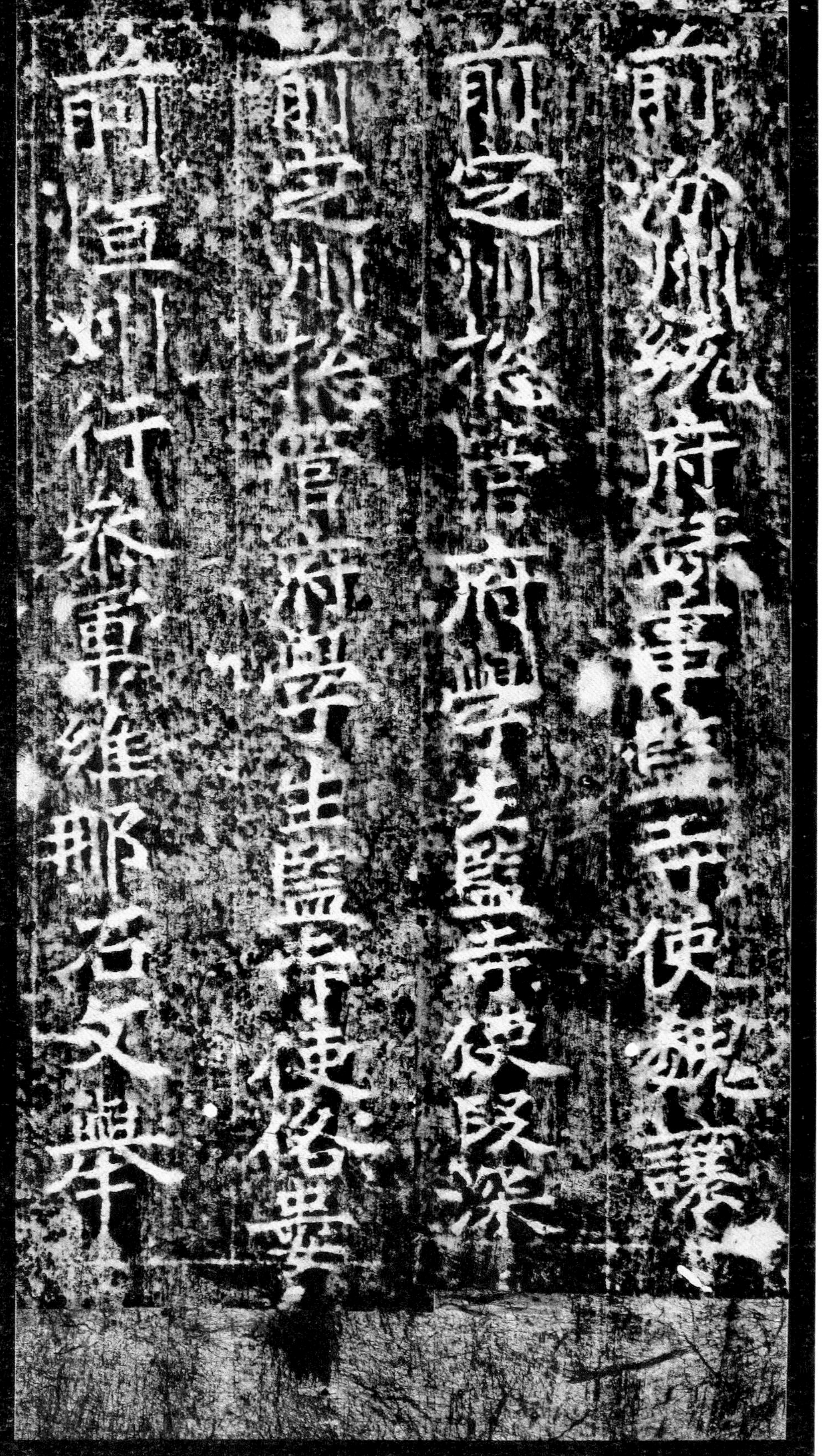

前汾州統府録事監寺使魏讓。／前定州捴管府學生監寺使段深。／前定州捴管府學生監寺使佁婁。／前恒州行參軍維那石文舉。／

前恒郡兼主簿維那石紹軌。／前六州倉曹參軍維那樂元。／前六州外兵維那獨孤永和。／維那石洪兒。維那檀惠顔。／

維那石顯應。維那賈盖宗。／維那王景貴。維那王遵貴。／維那竹盆。維那王望兒。／維那石子暉。維那閻仲遵。／

維那石子約。維那王市吉。／維那賈榮伯。維那左輔。／維那馬祀。維那白暉賓。／真定縣：維那。維那。／

《隋書·地理志》：『恒山郡，後周置恒州。統縣八，户十七萬七千五百七十一。』據碑文及史籍記載，開皇六年時『恒山郡』尚稱『恒州』，以下所列縣名，均合於當時之制。『維那』之下原空，蓋爲填寫姓名而留。

維那。維那。維那。／石邑縣：維那。維那。／維那。維那。維那。／邢陘縣：維那。維那。／

蒲吾縣：維那。維那。／維那。維那。維那。／零壽縣：□□□田世敖。／□□□傳□。維那。維那。／

維那。維那。維那。／行唐縣：維那。維那。／維那。維那。維那。／滋陽縣：維那。維那。／

維那。維那。／九門縣：□□□靳□林。／維那。維那。維那。／維那。維那。維那。／

營寺居士郄希邕。\

【碑側】都維那比丘玄詣。／都維那比丘惠暢。／□□□比丘僧□。／都維那比丘道軌。／

都維那：北魏時所置之僧官名稱。北魏文成帝於興安元年（四五二），設都維那於道人統之下。道人統乃中央僧官機構監福曹之首長。

都維那比丘□□。／都維那比丘圓美。／都維那比丘道運。／都維那比丘靜脫。／

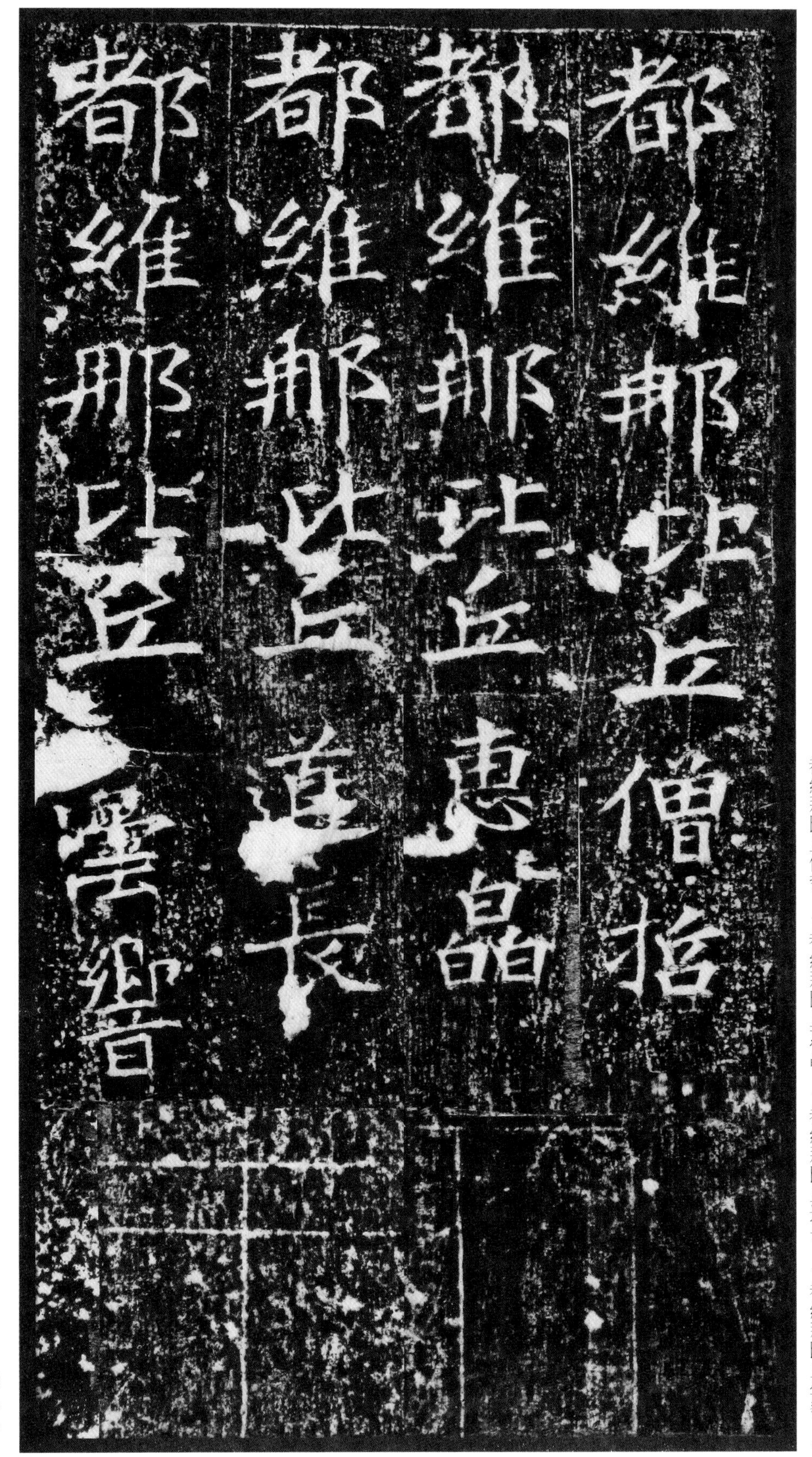

都維那比丘僧哲。／都維那比丘惠晶。／都維那比丘道長。／都維那比丘曇響。／

都維那比丘惠昂。／都維那比丘智蕭。／都維那比丘道寧。／都維那比丘真觀。／

弇羣所得精本甲寅正月孝胥獲觀

雍正元年癸卯孟春上元前一日購乾隆二十二年丁丑孟夏二十又六日命東琪手製

此碑歐陽永叔趙德甫均著錄而未聞有宋搨本流傳有張公禮三字即為至佳之本此本禮下之字尚存釋迦下文字亦存額及碑陰均非後配尤屬難得萃編不但無張公禮即文字亦消滅矣

東琪姓李字鐵橋山左金石家縣東令王君碑即其所搜得

繆荃孫

歷代集評

字畫遒勁，有歐虞之體。

——宋 歐陽修《集古録》

龍藏寺即今真定府龍興寺，碑尚存，碑書遒勁，亦是歐虞發源。

——明 趙崡《石墨鐫華》

《張猛龍》足繼大令，《龍藏寺》足繼右軍，皆于平正通達之中，迷離變化，不可思議。

——清 包世臣《藝舟雙楫》

隋《龍藏寺》，出魏《李仲璇》、《敬顯儁》兩碑，而加純净，左規右矩近千文。而雅健過之，《書評》謂右軍字勢雄强，比其庶幾。

——清 包世臣《藝舟雙楫》

真書至初唐極盛。而初唐諸家精詣北朝無不具有。至開皇大業間即初唐矣。此碑置褚登善諸石中直無以別，知即所從出也。……其結體，既開《伊闕佛龕》。

——清 莫友芝《龍藏寺碑跋》

細玩此碑，正平沖和處似永興（虞世南），婉麗遒媚處似河南（褚遂良），亦無信本（歐陽詢）險峭之態。

——清 楊守敬《平碑記》

隋碑漸失古意，體多闓爽，絶少虚和高穆之風。一綫之延，惟有《龍藏》。《龍藏》統合分隸，并《吊比干文》、《鄭文公》、《敬使君》、《劉懿》、《李仲璇》諸派，薈萃爲一，安静渾穆，骨鯁不減曲江，而風度端凝，此六朝集成之碑，非獨爲隋碑第一也。

——清 康有爲《廣藝舟雙楫》

《龍藏寺》秀韻芳情，馨香溢時，然所得自齊碑出。齊碑中《靈塔銘》、《百人造像》，皆於瘦硬中有清腴氣。《龍藏》變化，加以活筆，遂覺青出於藍耳。

——清 康有爲《廣藝舟雙楫》

圖書在版編目（CIP）數據

龍藏寺碑/上海書畫出版社編. —上海：上海書畫出版社，2011.8

（中國碑帖名品）

ISBN 978-7-5479-0248-6

Ⅰ.①龍… Ⅱ.①上… Ⅲ.①楷書—碑帖—中國—隋代 Ⅳ.①J292.24

中國版本圖書館CIP數據核字（2011）第148478號

中國碑帖名品［三十八］

龍藏寺碑

本社 編

責任編輯 馮 磊
釋文注釋 俞 豐
審　　定 沈培方
責任校對 郭曉霞
封面設計 王 峥
整體設計 馮 磊
技術編輯 錢勤毅

出版發行 上海書畫出版社
地址 上海市閔行区號景路159弄A座4楼 201101
網址 www.shshuhua.com
E-mail shcpph@online.sh.cn
印刷 上海界龍藝術印刷有限公司
經銷 各地新華書店
開本 889×1194mm 1/12
印張 9
版次 2011年8月第1版
2022年1月第8次印刷

書號 ISBN 978-7-5479-0248-6
定價 66.00元